THE CONCISE
FRENCH VERB BOOK

THE CONCISE
FRENCH VERB BOOK

GEOFFREY BRERETON

B.A. (Oxon.)
D.-ès-L. (Université de Paris)

HODDER AND STOUGHTON
LONDON SYDNEY AUCKLAND TORONTO

ISBN 0 340 06302 5

Eighth impression 1976

Printed in Great Britain for Hodder and Stoughton
Educational, a division of Hodder and Stoughton Ltd,
London, by Hazell Watson & Viney Ltd,
Aylesbury, Bucks

PREFACE

VERBS are the sinews of a language. Without a sound knowledge of them, it is hardly possible to speak or write correctly. This is even truer of French than of English, for the French verb has many more inflections than the English verb and the scope for error is considerably wider.

This short book has been planned with the object of reducing that margin of error for English pupils. It aims at presenting in easily accessible form all the information on the verb which the learner is likely to require from the time he begins French until he reaches a stage at which he can handle the language with considerable confidence.

The book is designed both for working through and for reference. It can be used either independently or in conjunction with various language courses or more complete French grammars. In it, the regular verbs and the principal irregulars (followed by examples which can be set for learning) are conjugated in the " Three by Three Square " first used in the author's *Essential French Grammar Course*. The practical advantages of 'the " Three by Three " system are explained on p. 10.

The less important irregulars are tabulated according to the traditional system. After them, the essential points of the syntax of the verb are covered briefly. Short exercises on conjugation and syntax complete the book.

Users of the book may notice the absence of *recevoir* (or *devoir*) from the regular conjugations. This verb-group (consisting of four verbs in all) is placed instead among the irregular verbs. In adopting this arrangement I have followed in part modern French grammatical theory which recognises only three basic conjugations, typified by *parler*, *finir* and *dormir*. I have, however, compromised with the older conception of five conjugations by including a verb in -*re* (*vendre*) among the regulars. From the practical viewpoint of the language-teacher, such a compromise appears likely to give the best results. It might be unnecessarily confusing, though philologically true, to inform the English learner that *dormir, vendre* and *recevoir* are in effect the same conjugation.

G. B.

CONTENTS

PART I

CONJUGATION OF THE VERB

How the Tenses are Formed

Imperative.—The three persons of the Imperative proper are the same as the corresponding persons of the Present Indicative, *minus* the pronouns. E.g. *Viens, venons, venez.* In *-er* verbs, however, the *s* of the 2nd Sing. is dropped. Compare : *Tu donnes* and *donne-le-moi.*

Exceptions : *être, avoir, aller, savoir, vouloir.*

Imperfect Indicative.—The stem is that of the Present Participle, to which are added the endings *-ais, -ais, -ait, -ions, -iez, -aient.* E.g. *Finiss-ant, je finiss-ais.*

Exceptions : *avoir* and *savoir.*

Future.—To the Infinitive are added the endings *-ai, -as, -a, -ons, -ez, -ont.* E.g. *Couvrir, je couvrir-ai.*

In *-re* verbs, the final *e* of the Infinitive is of course dropped. E.g. *Prendre, je prendrai.*

A large number of verbs do *not* form their future according to this rule. E.g. *avoir, être, aller, pouvoir, faire,* etc.

Conditional.—The stem is that of the Future. The endings are the same as the Imperfect Indicative. E.g. *Je saurai : I will know. Je saurais : I would know.*

Present Subjunctive.—Cut off *-nt* from the 3rd Plur. Present Indicative and the resulting word is the 1st Sing. of the Present Subjunctive. E.g. *Ils craigne-nt* gives *Que je craigne.* The tense endings are : *-e, -es, -e, -ions, iez, -ent.*

Exceptions : *être, avoir, aller, faire, pouvoir, savoir, valoir, vouloir.*

Imperfect Subjunctive.—Can be formed by adding *-se* to the

9

2nd Sing. Past Definite. E.g. *Tu parlas* gives *Que je parlasse* ; *tu voulus* gives *que je voulusse*.

The endings of the tense are : *-sse, -sses, - 't, -ssions, -ssiez, -ssent*.

The most-used person of the Imperfect Subjunctive—the 3rd Singular—is the same as the 3rd Sing. Past Definite with the addition of a circumflex. E.g. *Il reçut* and *qu'il reçût*. In *-er* verbs, *t* must also be added. E.g. *Il alla* and *qu'il allât*.

NOTE : The twenty-two main verb-types which follow (they include the auxiliaries, the regular conjugations and the principal irregulars) are tabulated in the " Three by Three Square," which has proved in practice helpful both for comprehension and memorising. It aids the visual memory if the pupil can accustom himself to picturing the layout of the whole page—not a difficult task—and can recall in which particular " box " is the tense which he requires.

Within the nine squares, the tenses are arranged symmetrically and in logical order. Thus, the Imperative comes next to those persons of the Present Indicative from which it is usually derived. The Future and Conditional are placed immediately to the left and right of the central Infinitive. The Conditional endings appear just below the Imperfect endings. Diagonally, the Imperfect Indicative almost touches the Present Participle. These and other comparisons can be made clearer, if desired, by using a pencil or a sheet of paper as a " pointer." They are most evident in such verbs as *connaître* and *craindre*.

Teachers instructing beginners may find it valuable to tell their pupils to rule the nine squares in their notebooks and gradually, beginning with the top left-hand corner, to build up each verb for themselves as their knowledge of the tenses grows.

Auxiliaries

Present Indic.	Imperative	Imperfect Indic.
je suis		j'étais
tu es	sois	tu étais
il est		il était
nous sommes	soyons	nous étions
vous êtes	soyez	vous étiez
ils sont		ils étaient
Future		*Conditional*
je serai	étant	je serais
tu seras		tu serais
il sera	**ÊTRE**	il serait
nous serons	*to be*	nous serions
vous serez		vous seriez
ils seront	été	ils seraient
Present Subj.	*Past Definite*	*Imperfect Subj.*
je sois	je fus	je fusse
tu sois	tu fus	tu fussés
il soit	il fut	il fût
nous soyons	nous fûmes	nous fussions
vous soyez	vous fûtes	vous fussiez
ils soient	ils furent	ils fussent

All Reflexive Verbs and some Intransitive Verbs (see pp. 49–50) are conjugated with être.

Quand serez-vous libre ? : When will you be free ?
Si j'étais vous : If I were you.
Je serais très fier : I should be very proud.
Il était souvent malade : He was often ill.
Il a été malade récemment : He has been (was) ill lately.
Tous furent sauvés : All were saved.
Ne soyez pas bête : Don't be silly.
Avant qu'il ne soit trop tard : Before it is too late.

Auxiliaries

Present Indic.	Imperative	Imperfect Indic.
j'ai		j'avais
tu as	aie	tu avais
il a		il avait
nous avons	ayons	nous avions
vous avez	ayez	vous aviez
ils ont		ils avaient

Future		Conditional
j'aurai	ayant	j'aurais
tu auras		tu aurais
il aura	**AVOIR**	il aurait
nous aurons	*to have*	nous aurions
vous aurez		vous auriez
ils auront	eu	ils auraient

Present Subj.	Past Definite	Imperfect Subj.
j'aie	j'eus	j'eusse
tu aies	tu eus	tu eusses
il ait	il eut	il eût
nous ayons	nous eûmes	nous eussions
vous ayez	vous eûtes	vous eussiez
ils aient	ils eurent	ils eussent

Avez-vous froid ? Moi, j'ai chaud : Are you cold ? *I'm* hot.
Elle avait faim : She was hungry.
Nous avons eu tort : We have been (or were) wrong.
Ils auront raison : They will be right.
J'ai soif, sommeil, peur, honte : I'm thirsty, sleepy, afraid, ashamed.
Il y a : There is, there are.
Il y a huit jours : A week ago.
Il y avait : There was, there were.
Il y a eu : There has been, have been.
Il y aura, il y aurait : There will be, there would be.

Regular Verbs

in -*er*

Present Indic.	Imperative	Imperfect Indic.
je parle		je parlais
tu parles	parle	tu parlais
il parle		il parlait
nous parlons	parlons	nous parlions
vous parlez	parlez	vous parliez
ils parlent		ils parlaient

Future		Conditional
je parlerai	parlant	je parlerais
tu parleras		tu parlerais
il parlera	**PARLER**	il parlerait
nous parlerons	*to speak*	nous parlerions
vous parlerez		vous parleriez
ils parleront	parlé	ils parleraient

Present Subj.	Past Definite	Imperfect Subj.
je parle	je parlai	je parlasse
tu parles	tu parlas	tu parlasses
il parle	il parla	il parlât
nous parlions	nous parlâmes	nous parlassions
vous parliez	vous parlâtes	vous parlassiez
ils parlent	ils parlèrent	ils parlassent

Like parler : *all* -er *verbs except* aller (*p.* 17), envoyer (*p.* 39) *and stem-changing verbs* (*pp.* 31–34).

Il parle : He speaks, he is speaking, he does speak.
Parle-t-il ? : Is he speaking ? Does he speak ?
Elle parlait trop : She spoke, was speaking, used to talk, too much.
Nous en avons parlé : We have spoken, spoke, of it.
Vous m'en parlerez : You will speak to me of it.
Il faut que vous lui parliez : You must speak to him.
Parlez-moi : Speak to me.
Ne me parlez pas : Do not speak to me.

Regular Verbs

in -*ir* (1)

Present Indic.	*Imperative*	*Imperfect Indic.*
je finis		je finissais
tu finis	finis	tu finissais
il finit		il finissait
nous finissons	finissons	nous finissions
vous finissez	finissez	vous finissiez
ils finissent		ils finissaient

Future		*Conditional*
je finirai	finissant	je finirais
tu finiras		tu finirais
il finira	**FINIR**	il finirait
nous finirons	*to finish*	nous finirions
vous finirez		vous finiriez
ils finiront	fini	ils finiraient

Present Subj.	*Past Definite*	*Imperfect Subj.*
je finisse	je finis	je finisse
tu finisses	tu finis	tu finisses
il finisse	il finit	il finît
nous finissions	nous finîmes	nous finissions
vous finissiez	vous finîtes	vous finissiez
ils finissent	ils finirent	ils finissent

Like finir : *most -ir verbs.   Chief exceptions :* dormir *group* (*p.* 15), couvrir *group* (*p.* 19), courir, mourir, tenir, venir.

Quand est-ce qu'ils finissent ? : When do they finish ?
Le jour finissait : The day was ending.
Pour que je finisse : In order that I may finish.
J'ai fini de travailler : I've finished working.
Vous aurez bientôt fini : You will soon have finished.
Ce sera bientôt fini : It will soon be finished.
Le finira-t-elle demain ? : Will she finish it to-morrow ?
Finis vite ton café : Finish your coffee quickly.

Regular Verbs
in -*ir* (2)

Present Indic.	Imperative	Imperfect Indic.
je dors		je dormais
tu dors	dors	tu dormais
il dort		il dormait
nous dormons	dormons	nous dormions
vous dormez	dormez	vous dormiez
ils dorment		ils dormaient
Future		**Conditional**
je dormirai	dormant	je dormirais
tu dormiras		tu dormirais
il dormira	**DORMIR**	il dormirait
nous dormirons	*to sleep*	nous dormirions
vous dormirez		vous dormiriez
ils dormiront	dormi	ils dormiraient
Present Subj.	**Past Definite**	**Imperfect Subj.**
je dorme	je dormis	je dormisse
tu dormes	tu dormis	tu dormisses
il dorme	il dormit	il dormît
nous dormions	nous dormîmes	nous dormissions
vous dormiez	vous dormîtes	vous dormissiez
ils dorment	ils dormirent	ils dormissent

Like dormir : mentir, sentir, servir, vêtir (*p.p.* vêtu) *and compounds* (*with* avoir) ; s'endormir, se repentir, partir, sortir *and compounds* (*with* être).

Finissons de parler et dormons : Let's stop talking and go to sleep.
J'ai sommeil, je dormirai bien : I'm sleepy, I shall sleep well.
Je voudrais qu'il dorme : I would like him to sleep.
Il s'est déjà endormi : He has already fallen asleep.
Je suis sorti de bonne heure : I went out early.
Ils sont partis ce matin : They left this morning.

Regular Verbs
in -re

Present Indic.	Imperative	Imperfect Indic.
je vends		je vendais
tu vends	vends	tu vendais
il vend		il vendait
nous vendons	vendons	nous vendions
vous vendez	vendez	vous vendiez
ils vendent		ils vendaient

Future		Conditional
je vendrai	vendant	je vendrais
tu vendras		tu vendrais
il vendra	**VENDRE**	il vendrait
nous vendrons	*to sell*	nous vendrions
vous vendrez		vous vendriez
ils vendront	vendu	ils vendraient

Present Subj.	Past Definite	Imperfect Subj.
je vende	je vendis	je vendisse
tu vendes	tu vendis	tu vendisses
il vende	il vendit	il vendît
nous vendions	nous vendîmes	nous vendissions
vous vendiez	vous vendîtes	vous vendissiez
ils vendent	ils vendirent	ils vendissent

Principal verbs like vendre : tendre, attendre, entendre, pendre, rendre, descendre, répondre, tondre, perdre, battre (*Pres. Indic.* je bats, tu bats, il bat, nous battons, vous battez, ils battent), rompre (*3rd Sing. Pres. Indic.* il rompt) *and compounds.*

Maison à vendre ou à louer : House for sale or to let.
Elle les a déjà vendus : She has sold them already.
Il vaut mieux que vous le vendiez : You had better sell it.
Il vendait toutes sortes de choses : He sold all sorts of things.
Rendez-moi mon argent : Give me back my money.

Chief Irregular Verbs

in -er

Present Indic.	Imperative	Imperfect Indic.
je vais		j'allais
tu vas	va (but vas-y)	tu allais
il va		il allait
nous allons	allons	nous allions
vous allez	allez	vous alliez
ils vont		ils allaient

Future		Conditional
j'irai	allant	j'irais
tu iras		tu irais
il ira	*ALLER	il irait
nous irons	to go	nous irions
vous irez		vous iriez
ils iront	allé	ils iraient

Present Subj.	Past Definite	Imperfect Subj.
j'aille	j'allai	j'allasse
tu ailles	tu allas	tu allasses
il aille	il alla	il allât
nous allions	nous allâmes	nous allassions
vous alliez	vous allâtes	vous allassiez
ils aillent	ils allèrent	ils allassent

*Aller *is conjugated with* être. *Perfect :* je suis allé, tu es allé, il est allé, nous sommes allés, vous êtes allé(s), ils sont allés.

Comment allez-vous ? Cela va bien ? : How are you ? All right ?
Je vais le faire : I am going to do it, will do it.
Ils allaient parler : They were going to speak.
Nous irons le voir demain : We will go and see him to-morrow.
Je n'irais pas jusque-là : I wouldn't go that far.
S'en aller : To go away.
Bien, je m'en vais : Right, I'm going (away).

Chief Irregular Verbs
in -*ir* (1)

Present Indic.	Imperative	Imperfect Indic.
je viens		je venais
tu viens	viens	tu venais
il vient		il venait
nous venons	venons	nous venions
vous venez	venez	vous veniez
ils viennent		ils venaient

Future		Conditional
je viendrai	venant	je viendrais
tu viendras		tu viendrais
il viendra	*VENIR	il viendrait
nous viendrons	*to come*	nous viendrions
vous viendrez		vous viendriez
ils viendront	venu	ils viendraient

Present Subj.	Past Definite	Imperfect Subj.
je vienne	je vins	je vinsse
tu viennes	tu vins	tu vinsses
il vienne	il vint	il vînt
nous venions	nous vînmes	nous vinssions
vous veniez	vous vîntes	vous vinssiez
ils viennent	ils vinrent	ils vinssent

*Venir *is conjugated with* être. **Perfect :* je suis venu, tu es venu, il est venu, nous sommes venus, vous êtes venu(s), ils sont venus.

Like venir : devenir, parvenir, revenir, survenir, se souvenir (*all with* être). Prévenir (*with* avoir). Convenir *with* être *when it means* to agree ; *with* avoir *when it means* to suit. Tenir *and all compounds* (*with* avoir).

Je viens de le voir : I have just seen him.
Il venait de me quitter : He had just left me.
Ils sont devenus plus aimables : They've become more agreeable.

Chief Irregular Verbs

in -*ir* (2)

Present Indic.	Imperative	Imperfect Indic.
je couvre		je couvrais
tu couvres	couvre	tu couvrais
il couvre		il couvrait
nous couvrons	couvrons	nous couvrions
vous couvrez	couvrez	vous couvriez
ils couvrent		ils couvraient

Future		Conditional
je couvrirai	couvrant	je couvrirais
tu couvriras		tu couvrirais
il couvrira	**COUVRIR**	il couvrirait
nous couvrirons	*to cover*	nous couvririons
vous couvrirez		vous couvririez
ils couvriront	couvert	ils couvriraient

Present Subj.	Past Definite	Imperfect Subj.
je couvre	je couvris	je couvrisse
tu couvres	tu couvris	tu couvrisses
il couvre	il couvrit	il couvrît
nous couvrions	nous couvrîmes	nous couvrissions
vous couvriez	vous couvrîtes	vous couvrissiez
ils couvrent	ils couvrirent	ils couvrissent

Like couvrir : découvrir, recouvrir, offrir, ouvrir, souffrir.

Je vous offre ce cadeau : I offer you this present.
La neige couvrait la terre : The snow covered the ground.
La terre était couverte de neige : The ground was covered with snow.
Qui a ouvert la porte ? : Who (has) opened the door ?
J'étais sûr qu'il le découvrirait : I was sure that he would discover it.
L'avare recouvrit son trésor : The miser covered up his treasure.
Je crains qu'il ne souffre beaucoup : I'm afraid he will suffer a lot.

Chief Irregular Verbs

in -*oir* (1)

Present Indic.	Imperative	Imperfect Indic.
je reçois		je recevais
tu reçois	reçois	tu recevais
il reçoit		il recevait
nous recevons	recevons	nous recevions
vous recevez	recevez	vous receviez
ils reçoivent		ils recevaient

Future		Conditional
je recevrai	recevant	je recevrais
tu recevras		tu recevrais
il recevra	**RECEVOIR**	il recevrait
nous recevrons	*to receive*	nous recevrions
vous recevrez		vous recevriez
ils recevront	reçu	ils recevraient

Present Subj.	Past Definite	Imperfect Subj.
je reçoive	je reçus	je reçusse
tu reçoives	tu reçus	tu reçusses
il reçoive	il reçut	il reçût
nous recevions	nous reçûmes	nous reçussions
vous receviez	vous reçûtes	vous reçussiez
ils reçoivent	ils reçurent	ils reçussent

Like recevoir : apercevoir, concevoir, devoir. *Pres. Indic.* *of* devoir : je dois, tu dois, il doit, nous devons, vous devez, ils doivent. *Imperf. Indic.:* je devais. *Future :* je devrai· *Past Def.:* je dus. *Pres. Subj.:* je doive. *Past Partic.:* dû, *fem.* due.

Ils doivent partir : They must leave, are to leave.
Je devrais lui écrire : I ought to write to him.
J'aurais dû écrire : I ought to have written.
Ils ont dû partir : They had to leave *or* must have left.

Chief Irregular Verbs

in -oir (2)

Present Indic.	Imperative	Imperfect Indic.
je peux *or* je puis		je pouvais
tu peux	*none*	tu pouvais
il peut		il pouvait
nous pouvons		nous pouvions
vous pouvez		vous pouviez
ils peuvent		ils pouvaient
Future		Conditional
je pourrai	pouvant	je pourrais
tu pourras		tu pourrais
il pourra	**POUVOIR**	il pourrait
nous pourrons	*to be able*	nous pourrions
vous pourrez		vous pourriez
ils pourront	pu	ils pourraient
Present Subj.	Past Definite	Imperfect Subj.
je puisse	je pus	je pusse
tu puisses	tu pus	tu pusses
il puisse	il put	il pût
nous puissions	nous pûmes	nous pussions
vous puissiez	vous pûtes	vous pussiez
ils puissent	ils purent	ils pussent

Je peux *and* je puis *can be used indifferently, except in inversions. Then only* puis-je *is used.*

Ils peuvent venir : They can come, are able to come, may come.
Il pouvait parler : He could speak, was able to speak.
Il pourrait le faire : He would be able to do it *or* might do it.
Il a pu le faire : He has been able to do it *or* may have done it.
Il avait pu le faire : He had been able to do it.
Il aurait pu le faire : He would have been able to do it *or* might have
    done it.

C.F.V.—3*

Chief Irregular Verbs

in -*oir* (3)

Present Indic.	Imperative	Imperfect Indic.
je sais		je savais
tu sais	sache	tu savais
il sait		il savait
nous savons	sachons	nous savions
vous savez	sachez	vous saviez
ils savent		ils savaient
Future		**Conditional**
je saurai	sachant	je saurais
tu sauras		tu saurais
il saura	**SAVOIR**	il saurait
nous saurons	*to know*	nous saurions
vous saurez		vous sauriez
ils sauront	su	ils sauraient
Present Subj.	**Past Definite**	**Imperfect Subj.**
je sache	je sus	je susse
tu saches	tu sus	tu susses
il sache	il sut	il sût
nous sachions	nous sûmes	nous sussions
vous sachiez	vous sûtes	vous sussiez
ils sachent	ils surent	ils sussent

Savoir *means* to know mentally. *It is used before a clause and, usually, before abstract nouns.* (*For* connaître, *see p.* 25.)
Savoir *also means* to be able, *in the sense of* to know how.

Je sais qu'il est ici : I know that he is here.
Quand saura-t-on le résultat ? : When shall we know the result ?
Il ne sait pas écrire : He cannot write.
Savez-vous nager, parler français ? : Can you swim, speak French ?
Je ne saurais pas le faire : I could not do it, should not know how to do it.
Il n'est pas venu, que je sache : He has not come, so far as I know.

Chief Irregular Verbs

in -oir (4)

Present Indic.	Imperative	Imperfect Indic.
je veux		je voulais
tu veux	veuille	tu voulais
il veut		il voulait
nous voulons	veuillons	nous voulions
vous voulez	veuillez	vous vouliez
ils veulent		ils voulaient

Future		Conditional
je voudrai	voulant	je voudrais
tu voudras		tu voudrais
il voudra	**VOULOIR**	il voudrait
nous voudrons	*to wish*	nous voudrions
vous voudrez		vous voudriez
ils voudront	voulu	ils voudraient

Present Subj.	Past Definite	Imperfect Subj.
je veuille	je voulus	je voulusse
tu veuilles	tu voulus	tu voulusses
il veuille	il voulut	il voulût
nous voulions	nous voulûmes	nous voulussions
vous vouliez	vous voulûtes	vous voulussiez
ils veuillent	ils voulurent	ils voulussent

Je veux : I want, I wish, I will, I am willing.
Je veux regarder : I want to look, will look.
Voulez-vous venir ? : Will you come, are you willing to come ?
Il voudrait nous aider : He would like to help us.
Il aurait voulu nous aider : He would have liked to help us.
Il ne voulait pas le dire : He would not say it.
Ils n'ont jamais voulu y aller : They have never been willing to go
  there.
Veuillez me dire... : Kindly tell me . . .
Il veut que je le fasse : He wants me to do it.
Qu'est-ce qu'il veut dire ? : What does he mean ?

Chief Irregular Verbs

in -*re* (1)

Present Indic.	Imperative	Imperfect Indic.
je conduis		je conduisais
tu conduis	conduis	tu conduisais
il conduit		il conduisait
nous conduisons	conduisons	nous conduisions
vous conduisez	conduisez	vous conduisiez
ils conduisent		ils conduisaient
Future		**Conditional**
je conduirai	conduisant	je conduirais
tu conduiras		tu conduirais
il conduira	**CONDUIRE**	il conduirait
nous conduirons	*to lead*	nous conduirions
vous conduirez		vous conduiriez
ils conduiront	conduit	ils conduiraient
Present Subj.	**Past Definite**	**Imperfect Subj.**
je conduise	je conduisis	je conduisisse
tu conduises	tu conduisis	tu conduisisses
il conduise	il conduisit	il conduisît
nous conduisions	nous conduisîmes	nous conduisissions
vous conduisiez	vous conduisîtes	vous conduisissiez
ils conduisent	ils conduisirent	ils conduisissent

Like conduire : *all verbs in* -uire : construire, cuire, détruire, instruire, produire, réduire, traduire, *etc.*

Luire, reluire, nuire *have Past Partic.* lui, relui, nui (*no* t).

Ne conduisez pas si vite : Don't drive (car) so quickly.
Il fut conduit au poste : He was taken to the police-station.
Elle conduisait un camion : She used to drive a lorry.
Cette défaite détruisit les espoirs de Napoléon : This defeat destroyed Napoleon's hopes.
Ils construiront trois maisons : They will build three houses.

Chief Irregular Verbs
in -re (2)

Present Indic.	*Imperative*	*Imperfect Indic.*
je connais		je connaissais
tu connais	connais	tu connaissais
il connaît		il connaissait
nous connaissons	connaissons	nous connaissions
vous connaissez	connaissez	vous connaissiez
ils connaissent		ils connaissaient

Future		*Conditional*
je connaîtrai	connaissant	je connaîtrais
tu connaîtras		tu connaîtrais
il connaîtra	**CONNAÎTRE**	il connaîtrait
nous connaîtrons	*to know*	nous connaîtrions
vous connaîtrez		vous connaîtriez
ils connaîtront	connu	ils connaîtraient

Present Subj.	*Past Definite*	*Imperfect Subj.*
je connaisse	je connus	je connusse
tu connaisses	tu connus	tu connusses
il connaisse	il connut	il connût
nous connaissions	nous connûmes	nous connussions
vous connaissiez	vous connûtes	vous connussiez
ils connaissent	ils connurent	ils connussent

Like connaître : *all verbs in* -aître *except* naître (*p.* 41).

Connaître *means* to know by name, sight, acquaintance, *and is generally used before concrete nouns.* Cp. savoir (*p.* 22).

Nous le connaissons bien : We know him well.
Il connaît cette ville, la France, ce livre : He knows this town, France, this book.
Nous l'avons connu à Paris : We got to know him in Paris.
Vous le reconnaîtriez facilement : You would easily recognise it.
Le chien reconnut son maître : The dog recognised his master.
Le livre paraîtra prochainement : The book will appear shortly.

Chief Irregular Verbs

in -re (3)

Present Indic.	Imperative	Imperfect Indic.
je crains		je craignais
tu crains	crains	tu craignais
il craint		il craignait
nous craignons	craignons	nous craignions
vous craignez	craignez	vous craigniez
ils craignent		ils craignaient

Future		Conditional
je craindrai	craignant	je craindrais
tu craindras		tu craindrais
il craindra	**CRAINDRE**	il craindrait
nous craindrons	*to fear*	nous craindrions
vous craindrez		vous craindriez
ils craindront	craint	ils craindraient

Present Subj.	Past Definite	Imperfect Subj.
je craigne	je craignis	je craignisse
tu craignes	tu craignis	tu craignisses
il craigne	il craignit	il craignît
nous craignions	nous craignîmes	nous craignissions
vous craigniez	vous craignîtes	vous craignissiez
ils craignent	ils craignirent	ils craignissent

Like craindre : *all verbs in* indre : plaindre, atteindre, éteindre, feindre, peindre, joindre, *etc.*

Je crains qu'il ne vienne : I am afraid he will come.
Nous craignons qu'il ne vienne pas : We fear that he will not come.
Il ne craignait pas de le dire : He was not afraid to say so.
Ne craignez rien, je suis là : Fear nothing, I am here.
J'ai éteint la lumière : I have put out the light.
Il a atteint son but : He has reached (attained) his goal.
Nous ne nous plaindrons pas : We will not complain.
Joindre les deux bouts : To make both ends meet.

Chief Irregular Verbs

in -re (4)

Present Indic.	Imperative	Imperfect Indic.
je dis		je disais
tu dis	dis	tu disais
il dit		il disait
nous disons	disons	nous disions
vous dites	dites	vous disiez
ils disent		ils disaient

Future		Conditional
je dirai	disant	je dirais
tu diras		tu dirais
il dira	**DIRE**	il dirait
nous dirons	*to say*	nous dirions
vous direz		vous diriez
ils diront	dit	ils diraient

Present Subj.	Past Definite	Imperfect Subj.
je dise	je dis	je disse
tu dises	tu dis	tu disses
il dise	il dit	il dît
nous disions	nous dîmes	nous dissions
vous disiez	vous dîtes	vous dissiez
ils disent	ils dirent	ils dissent

Like dire : redire.

Contredire, interdire, médire *and* prédire *differ only in the* 2nd Plur. Pres. Indic. and the 2nd Plur. Imperative : contre-disez, médisez, prédisez, interdisez.

Maudire *is conjugated like* finir, *except for Past Partic. :* maudit.

Dites-moi ce que vous avez fait : Tell me what you have done.
Ne me contredisez pas : Do not contradict me.
Que diriez-vous alors ? : What would you say then ?

Chief Irregular Verbs
in -re (5)

Present Indic.	Imperative	Imperfect Indic.
je fais		je faisais
tu fais	fais	tu faisais
il fait		il faisait
nous faisons	faisons	nous faisions
vous faites	faites	vous faisiez
ils font		ils faisaient

Future		Conditional
je ferai	faisant	je ferais
tu feras		tu ferais
il fera	**FAIRE**	il ferait
nous ferons	*to do, make*	nous ferions
vous ferez		vous feriez
ils feront	fait	ils feraient

Present Subj.	Past Definite	Imperfect Subj.
je fasse	je fis	je fisse
tu fasses	tu fis	tu fisses
il fasse	il fit	il fît
nous fassions	nous fîmes	nous fissions
vous fassiez	vous fîtes	vous fissiez
ils fassent	ils firent	ils fissent

Like faire : défaire, refaire, satisfaire.

Je *le* ferai venir : I'll make him come (*venir* has no object).
Je *lui* ferai brûler la lettre : I'll make him burn the letter (*brûler* has direct object).
Il fait beau (temps) : It is fine (weather).
Il fait mauvais temps : The weather is bad.
Il fait chaud, froid, noir *or* nuit, jour : It is hot, cold, dark, light.
Il a fait chaud aujourd'hui : It has been hot to-day.
Il fera nuit de bonne heure : It will be dark early.
Voulez-vous que je le refasse ? : Do you want me to do it again ?

Chief Irregular Verbs

in -*re* (6)

Present Indic.	Imperative	Imperfect Indic.
je mets		je mettais
tu mets	mets	tu mettais
il met		il mettait
nous mettons	mettons	nous mettions
vous mettez	mettez	vous mettiez
ils mettent		ils mettaient

Future		Conditional
je mettrai	mettant	je mettrais
tu mettras		tu mettrais
il mettra	**METTRE**	il mettrait
nous mettrons	*to put*	nous mettrions
vous mettrez		vous mettriez
ils mettront	mis	ils mettraient

Present Subj.	Past Definite	Imperfect Subj.
je mette	je mis	je misse
tu mettes	tu mis	tu misses
il mette	il mit	il mît
nous mettions	nous mîmes	nous missions
vous mettiez	vous mîtes	vous missiez
ils mettent	ils mirent	ils missent

Like mettre : admettre, commettre, omettre, permettre, promettre, remettre, *and other compounds.*

Je promets d'être sage : I promise to be good.
On lui a permis de partir : He has been allowed to leave.
Mettez votre chapeau : Put on your hat.
Il faut le remettre à demain : It must be put off until to-morrow.
Vous mettrez les lettres à la poste : You will post the letters.
Ils omettaient souvent les accents : They often left out the accents.

C.F.V.—4*

Chief Irregular Verbs
in -re (7)

Present Indic.	*Imperative*	*Imperfect Indic.*
je prends		je prenais
tu prends	prends	tu prenais
il prend		il prenait
nous prenons	prenons	nous prenions
vous prenez	prenez	vous preniez
ils prennent		ils prenaient
Future		*Conditional*
je prendrai	prenant	je prendrais
tu prendras		tu prendrais
il prendra	**PRENDRE**	il prendrait
nous prendrons	*to take*	nous prendrions
vous prendrez		vous prendriez
ils prendront	pris	ils prendraient
Present Subj.	*Past Definite*	*Imperfect Subj.*
je prenne	je pris	je prisse
tu prennes	tu pris	tu prisses
il prenne	il prit	il prît
nous prenions	nous prîmes	nous prissions
vous preniez	vous prîtes	vous prissiez
ils prennent	ils prirent	ils prissent

Like prendre : apprendre, comprendre, entreprendre, sur-
prendre, *etc.*

Ils lui prirent son argent : They took his money from him.
Prenez-le sur la table, dans votre poche : Take it off the table, out of
    your pocket.
Je lui apprends à lire : I am teaching him to read.
Il apprenait à écrire : He was learning to write.
Il comprit trop tard : He understood too late.
Elle ne l'a pas compris : She has not understood it.
Comment voulez-vous que je le comprenne ? : How do you expect me
    to understand it ?

Stem-changing Verbs
Type 1

Present Indic.	Imperative	Imperfect Indic.
je mène		je menais
tu mènes	mène	tu menais
il mène		il menait
nous menons	menons	nous menions
vous menez	menez	vous meniez
ils mènent		ils menaient

Future		Conditional
je mènerai	menant	je mènerais
tu mèneras		tu mènerais
il mènera	**MENER**	il mènerait
nous mènerons	to lead	nous mènerions
vous mènerez		vous mèneriez
ils mèneront	mené	ils mèneraient

Present Subj.	Past Definite	Imperfect Subj.
je mène	je menai	je menasse
tu mènes	tu menas	tu menasses
il mène	il mena	il menât
nous menions	nous menâmes	nous menassions
vous meniez	vous menâtes	vous menassiez
ils mènent	ils menèrent	ils menassent

The stem of mener *takes a grave accent in those persons in which it is followed by a* mute e. Mène *is pronounced to rhyme with* scène, *while* menons *rhymes with* ce nom.

Like mener : amener (*to bring*), emmener (*to take away*), ramener (*to bring back*) ; lever (*to raise*) *and compounds* élever (*to bring up*), relever (*to raise, etc.*), soulever (*to lift, etc.*) ; acheter (*to buy*), achever (*to finish off*), celer (*to conceal*), geler (*to freeze*), harceler (*to harass*), modeler (*to model*), peler (*to peel*), peser (*to weigh*), semer (*to sow*), *their compounds and a number of less common verbs.*

Stem-changing Verbs
Type 2

Present Indic.	Imperative	Imperfect Indic.
je jette		je jetais
tu jettes	jette	tu jetais
il jette		il jetait
nous jetons	jetons	nous jetions
vous jetez	jetez	vous jetiez
ils jettent		ils jetaient

Future		Conditional
je jetterai	jetant	je jetterais
tu jetteras		tu jetterais
il jettera	**JETER**	il jetterait
nous jetterons	to throw	nous jetterions
vous jetterez		vous jetteriez
ils jetteront	jeté	ils jetteraient

Present Subj.	Past Definite	Imperfect Subj.
je jette	je jetai	je jetasse
tu jettes	tu jetas	tu jetasses
il jette	il jeta	il jetât
nous jetions	nous jetâmes	nous jetassions
vous jetiez	vous jetâtes	vous jetassiez
ils jettent	ils jetèrent	ils jetassent

Jeter *doubles the* t—*thus changing* neuter e *to* open è— *whenever the stem is followed by a* mute e. *This change necessarily occurs in the same persons in which* mener (*p.* 31) *takes a grave accent.*

Like jeter : *most of the commoner verbs in* -eter *and* -eler, e.g. rejeter (*to reject, throw back*), cacheter (*to seal*), décacheter (*to unseal*), feuilleter (*to skim through book*), voleter (*to flutter*) ; amonceler (*to heap up*), appeler (*to call*), rappeler (*to call back*), atteler (*to harness*), chanceler (*to stagger*), épeler (*to spell*), étinceler (*to sparkle*), niveler (*to level*), renouveler (*to renew*). *For chief exceptions see under* mener (*p.* 31).

STEM-CHANGING VERBS
Other Types

I. *Verbs in* -er *which have an acute accent* (closed é) *on the last syllable of the stem change this to a grave accent* (open è) *in three tenses only : Present Indic., Imperative, Present Subj.* E.g. Céder : *to yield.*

Present Indic. *:* je cède, tu cèdes, il cède, *nous cédons, vous cédez,* ils cèdent.

Imperative : cède, *cédons, cédez.*

Present Subj. *:* je cède, tu cèdes, il cède, *nous cédions, vous cédiez,* ils cèdent.

Like céder : abréger, accélérer, espérer, exagérer, inquiéter, pénétrer, posséder, préférer, protéger, régler, régner, répéter, révéler, sécher, etc.

II. *Verbs in* -yer *change* y *to* i *before a* mute e. E.g. Employer : *to use, employ.*

Present Indic. *:* j'emploie, tu emploies, il emploie, *nous employons, vous employez,* ils emploient.

Imperative : emploie, *employons, employez.*

Present Subj. *:* j'emploie, tu emploies, il emploie, *nous employions, vous employiez,* ils emploient.

Future : j'emploierai, *etc.* (i *throughout*).

Conditional : j'emploierais, *etc.* (i *throughout*).

The y *is conserved in all other parts of the verb.*

NOTE *: This change is made by all verbs in* -oyer *and* -uyer (aboyer, broyer, choyer, ennuyer, essuyer, nettoyer, ployer, *etc.*). *For verbs in* -ayer (payer, essayer, *etc.*) *it is optional but usual.*

III. *Verbs in* -ger (changer, juger, manger, plonger, ranger, *etc.*). *To keep the* g *soft it must always be followed by*

33

e *or* i. *If neither of these appears in the normal ending, an* -e mute *is inserted.* E.g. Changeant; nous changeons; il changea.

IV. *Verbs requiring cedilla* (commencer, menacer, prononcer, recevoir, *etc.*). *To keep the* c *soft, a cedilla is required before* a, o *and* u. E.g. Nous commençons; je menaçais; il a reçu.

Secondary Irregular Verbs

NOTE : In the following tables of less common irregular verbs, the Imperative and the Imperfect Subjunctive are omitted. They are formed according to the rules given on pp. 9–10.

Infinitive	Participles / Imperf. Indic.	Pres. Indic.	Past Def	Future / Conditional	Pres. Subj.
acquérir¹ to acquire	acquérant acquis — j'acquérais	j'acquiers tu acquiers il acquiert ns. acquérons vs. acquérez ils acquièrent	j'acquis tu acquis il acquit ns. acquîmes vs. acquîtes ils acquirent	j'acquerrai — j'acquerrais	j'acquière tu acquières il acquière ns. acquérions vs. acquériez ils acquièrent
assaillir² to assault	assaillant assailli — j'assaillais	j'assaille tu assailles il assaille ns. assaillons vs. assaillez ils assaillent	j'assaillis tu assaillis il assaillit ns. assaillîmes vs. assaillîtes ils assaillirent	j'assaillirai — j'assaillirais	j'assaille tu assailles il assaille ns. assaillions vs. assailliez ils assaillent
s'asseoir³ to sit down (with être)	s'asseyant assis — je m'asseyais	je m'assieds tu t'assieds il s'assied n.n. asseyons v.v. asseyez ils s'asseyent	je m'assis tu t'assis il s'assit n.n. assîmes v.v. assîtes ils s'assirent	je m'assiérai (*also* asseyerai *and* s'assoirai) je m'assiérais, *etc.*	je m'asseye tu t'asseyes il s'asseye n.n. asseyions v.v. asseyiez ils s'asseyent
boire to drink	buvant bu — je buvais	je bois tu bois il boit ns. buvons vs. buvez ils boivent	je bus tu bus il but ns. bûmes vs. bûtes ils burent	je boirai — je boirais	je boive tu boives il boive ns. buvions vs. buviez ils boivent

bouillir *to boil*	bouillant bouilli je bouillais	je bous tu bous il bout ns. bouillons vs. bouillez ils bouillent	je bouillis tu bouillis il bouillit ns. bouillîmes vs. bouillîtes ils bouillirent	je bouillirai —— je bouillirais	je bouille tu bouilles il bouille ns. bouillions vs. bouilliez ils bouillent
conclure [4] *to conclude*	concluant conclu je concluais	je conclus tu conclus il conclut ns. concluons vs. concluez ils concluent	je conclus tu conclus il conclut ns. conclûmes vs. conclûtes ils conclurent	je conclurai —— je conclurais	je conclue tu conclues il conclue ns. concluions vs. concluiez ils concluent
coudre [5] *to sew*	cousant cousu je cousais	je couds tu couds il coud ns. cousons vs. cousez ils cousent	je cousis tu cousis il cousit ns. cousîmes vs. cousîtes ils cousirent	je coudrai —— je coudrais	je couse tu couses il couse ns. cousions vs. cousiez ils cousent

[1] *Like* acquérir : conquérir, s'enquérir, requérir.
[2] *Like* assaillir : défaillir, tressaillir.
[3] *An alternative Pres. Indic. is* : assois, assois, assoit, assoyons, assoyez, assoient. *Alternative Pres. Subj.* : assoie, assoies, assoie, assoyions, assoyiez, assoient. *The usual Imperative is* : assieds-toi, asseyons-nous, asseyez-vous.
[4] *Like* conclure : exclure.
[5] *Like* coudre : découdre, recoudre.

Infinitive	Participles / Imperf. Indic.	Pres. Indic.	Past Def.	Future / Conditional	Pres. Subj.
courir[1] to run	courant couru — je courais	je cours tu cours il court ns. courons vs. courez ils courent	je courus tu courus il courut ns. courûmes vs. courûtes ils coururent	je courrai — je courrais	je coure tu coures il coure ns. courions vs. couriez ils courent
croire to believe	croyant cru — je croyais	je crois tu crois il croit ns. croyons vs. croyez ils croient	je crus tu crus il crut ns. crûmes vs. crûtes ils crurent	je croirai — je croirais	je croie tu croies il croie ns. croyions vs. croyiez ils croient
croître[2] to grow	croissant crû (f. crue) — je croissais	je croîs tu croîs il croît ns. croissons vs. croissez ils croissent	je crûs tu crûs il crût ns. crûmes vs. crûtes ils crûrent	je croîtrai — je croîtrais	je croisse tu croisses il croisse ns. croissions vs. croissiez ils croissent
cueillir[3] to pick, gather	cueillant cueilli — je cueillais	je cueille tu cueilles il cueille ns. cueillons vs. cueillez ils cueillent	je cueillis tu cueillis il cueillit ns. cueillîmes vs. cueillîtes ils cueillirent	je cueillerai — je cueillerais	je cueille tu cueilles il cueille ns. cueillions vs. cueilliez ils cueillent

Infinitive	Pres. part. / Past part. / Imperfect	Present	Past historic	Future / Conditional	Subjunctive
écrire [4] *to write*	écrivant écrit j'écrivais	j'écris tu écris il écrit ns. écrivons vs. écrivez ils écrivent	j'écrivis tu écrivis il écrivit ns. écrivîmes vs. écrivîtes ils écrivirent	j'écrirai ——— j'écrirais	j'écrive tu écrives il écrive ns. écrivions vs. écriviez ils écrivent
envoyer *to send*	envoyant envoyé j'envoyais	j'envoie tu envoies il envoie ns. envoyons vs. envoyez ils envoient	j'envoyai tu envoyas il envoya ns. envoyâmes vs. envoyâtes ils envoyèrent	j'enverrai ——— j'enverrais	j'envoie tu envoies il envoie ns. envoyions vs. envoyiez ils envoient
faillir *to just fail* [5]	*none* failli ——— *none*	*none*	je faillis tu faillis, *etc.*	*none*	*none*
falloir *to be necessary*	*none* fallu il fallait	il faut	il fallut	il faudra ——— il faudrait	il faille

[1] *Like* courir: accourir, parcourir, secourir, *etc.*
[2] *Like* croître: recroître (*p.p.* recrû) and accroître, décroître (*except p.p.* accru, décru).
[3] *Like* cueillir: accueillir, recueillir.
[4] *Like* écrire: décrire, inscrire, *etc.*
[5] *E.g.* Il faillit se noyer *or* il a failli se noyer: He was almost drowned.

Infinitive	Participles / Imperf. Indic.	Pres. Indic.	Past Def.	Future / Conditional	Pres. Subj.
fuir [1] / to flee	fuyant / fui / — / je fuyais	je fuis / tu fuis / il fuit / ns. fuyons / vs. fuyez / ils fuient	je fuis / tu fuis / il fuit / ns. fuîmes / vs. fuîtes / ils fuirent	je fuirai / — / je fuirais	je fuie / tu fuies / il fuie / ns. fuyions / vs. fuyiez / ils fuient
haïr / to hate	haïssant / haï / — / je haïssais	je hais / tu hais / il hait / ns. haïssons / vs. haïssez / ils haïssent	je haïs / tu haïs / il haït / ns. haïmes / vs. haïtes / ils haïrent	je haïrai / — / je haïrais	je haïsse / tu haïsses / il haïsse / ns. haïssions / vs. haïssiez / ils haïssent
lire [2] / to read	lisant / lu / — / je lisais	je lis / tu lis / il lit / ns. lisons / vs. lisez / ils lisent	je lus / tu lus / il lut / ns. lûmes / vs. lûtes / ils lurent	je lirai / — / je lirais	je lise / tu lises / il lise / ns. lisions / vs. lisiez / ils lisent
moudre / to grind	moulant / moulu / — / je moulais	je mouds / tu mouds / il moud / ns. moulons / vs. moulez / ils moulent	je moulus / tu moulus / il moulut / ns. moulûmes / vs. moulûtes / ils moulurent	je moudrai / — / je moudrais	je moule / tu moules / il moule / ns. moulions / vs. mouliez / ils moulent

		Present	Past Historic	Future / Conditional	Present Subjunctive
mourir *to die* **(with être)**	mourant mort — je mourais	je meurs tu meurs il meurt ns. mourons vs. mourez ils meurent	je mourus tu mourus il mourut ns. mourûmes vs. mourûtes ils moururent	je mourrai — je mourrais	je meure tu meures il meure ns. mourions vs. mouriez ils meurent
mouvoir [3] *to move*	mouvant mû (f. mue) — je mouvais	je meus tu meus il meut ns. mouvons vs. mouvez ils meuvent	je mus tu mus il mut ns. mûmes vs. mûtes ils murent	je mouvrai — je mouvrais	je meuve tu meuves il meuve ns. mouvions vs. mouviez ils meuvent
naître [4] *to be born* **(with être)**	naissant né — je naissais	je nais tu nais il naît ns. naissons vs. naissez ils naissent	je naquis tu naquis il naquit ns. naquîmes vs. naquîtes ils naquirent	je naîtrai — je naîtrais	je naisse tu naisses il naisse ns. naissions vs. naissiez ils naissent

[1] *Like* fuir : s'enfuir (*with* être).
[2] *Like* lire : élire, relire, *etc.*
[3] *Like* mouvoir : émouvoir (*except p.p.* ému).
[4] *Like* naître : renaître.

Infinitive	Participles / Imperf. Indic.	Pres. Indic.	Past Def.	Future / Conditional	Pres. Subj.
plaire[1] to please	plaisant plu ⸻ je plaisais	je plais tu plais il plaît ns. plaisons vs. plaisez ils plaisent	je plus tu plus il plut ns. plûmes vs. plûtes ils plurent	je plairai ⸻ je plairais	je plaise tu plaises il plaise ns. plaisions vs. plaisiez ils plaisent
pleuvoir to rain	pleuvant plu il pleuvait	il pleut ils pleuvent	il plut ils plurent	il pleuvra ⸻ il pleuvrait	il pleuve ils pleuvent
résoudre[2] to resolve	résolvant résolu ⸻ je résolvais	je résous tu résous il résout ns. résolvons vs. résolvez ils résolvent	je résolus tu résolus il résolut ns. résolûmes vs. résolûtes ils résolurent	je résoudrai ⸻ je résoudrais	je résolve tu résolves il résolve ns. résolvions vs. résolviez ils résolvent
rire[3] to laugh	riant ri ⸻ je riais	je ris tu ris il rit ns. rions vs. riez ils rient	je ris tu ris il rit ns. rîmes vs. rîtes ils rirent	je rirai ⸻ je rirais	je rie tu ries il rie ns. riions vs. riiez ils rient

Infinitive	Participles / Imperfect	Pres. Indic.	Past Def.	Fut. / Cond.	Pres. Subj.
suffire [4] *to suffice*	suffisant suffi je suffisais	je suffis tu suffis il suffit ns. suffisons vs. suffisez ils suffisent	je suffis tu suffis il suffit ns. suffîmes vs. suffîtes ils suffirent	je suffirai —— je suffirais	je suffise tu suffises il suffise ns. suffisions vs. suffisiez ils suffisent
suivre [5] *to follow*	suivant suivi je suivais	je suis tu suis il suit ns. suivons vs. suivez ils suivent	je suivis tu suivis il suivit ns. suivîmes vs. suivîtes ils suivirent	je suivrai —— je suivrais	je suive tu suives il suive ns. suivions vs. suiviez ils suivent
traire [6] *to milk*	trayant trait je trayais	je trais tu trais il trait ns. trayons vs. trayez ils traient	*none*	je trairai —— je trairais	je traie tu traies il traie ns. trayions vs. trayiez ils traient

[1] *Like* plaire : complaire, déplaire *and* taire (*except 3rd Sing. Pres. Indic.* : il tait).
[2] *Like* résoudre : absoudre, dissoudre (*except p.p.* absous, dissous ; *fem.* absoute, dissoute).
[3] *Like* rire : sourire.
[4] *Like* suffire : confire (*except p.p.* confit).
[5] *Like* suivre : poursuivre.
[6] *Like* traire : abstraire, distraire, extraire, soustraire.

Infinitive	Participles / Imperf. Indic.	Pres. Indic.	Past Def.	Future / Conditional	Pres. Subj.
vaincre [1] to overcome	vainquant vaincu — je vainquais	je vaincs tu vaincs il vainc ns. vainquons vs. vainquez ils vainquent	je vainquis tu vainquis il vainquit ns. vainquîmes vs. vainquîtes ils vainquirent	je vaincrai — je vaincrais	je vainque tu vainques il vainque ns. vainquions vs. vainquiez ils vainquent
valoir [2] to be worth	valant valu — je valais	je vaux tu vaux il vaut ns. valons vs. valez ils valent	je valus tu valus il valut ns. valûmes vs. valûtes ils valurent	je vaudrai — je vaudrais	je vaille tu vailles il vaille ns. valions vs. valiez ils vaillent
vivre [3] to live	vivant vécu — je vivais	je vis tu vis il vit ns. vivons vs. vivez ils vivent	je vécus tu vécus il vécut ns. vécûmes vs. vécûtes ils vécurent	je vivrai — je vivrais	je vive tu vives il vive ns. vivions vs. viviez ils vivent
voir [4] to see	voyant vu — je voyais	je vois tu vois il voit ns. voyons vs. voyez ils voient	je vis tu vis il vit ns. vîmes vs. vîtes ils virent	je verrai — je verrais	je voie tu voies il voie ns. voyions vs. voyiez ils voient

[1] *Like* vaincre : convaincre.

[2] *Like* valoir : prévaloir (*except Pres. Subj.* : je prévale, *etc.*).

[3] *Like* vivre : revivre, survivre.

[4] *Like* voir : revoir, entrevoir ; prévoir (*except Future* : je prévoirai, *etc.*) *and* pourvoir (*except Future* : je pourvoirai, *etc.*, Past Def. : je pourvus, *etc., and Imperf. Subj.* : je pourvusse, *etc.*).

PART II

SYNTAX OF THE VERB

I. Tenses after " depuis."

After depuis (*meaning* " for " *and* " since "), *if the action is still continuing,*

English Perfect Continuous (" has been ") becomes French Present :

Il **travaille** depuis vingt minutes : He **has been working** for twenty minutes (and still is).

Depuis que je **suis** ici, je m'amuse beaucoup : Since I **have been** here, I have been enjoying myself a lot.

Ils **sont** à Paris depuis samedi : They **have been** in Paris since Saturday.

Similarly in the past,

English Pluperfect Continuous (" had been ") becomes French Imperfect :

Il **travaillait** depuis une heure : He **had been working** for an hour (and still was).

Nous **étions** à Paris depuis lundi : We **had been** in Paris since Monday (and still were).

(NOTE : *The operative word in these sentences is " been."*)

BUT *in negative sentences, or if the action is not still continuing (no " has been " or " had been "), use past tense as in English :*

Je ne l'ai pas vu depuis quelques jours : I have not seen him for some days.

Depuis que je l'ai vu, il n'a rien fait : Since I saw him, he has done nothing.

J'avais lu cinquante pages depuis samedi : I had read fifty pages since Saturday.

45

II. Present Participle.

(a) *Used verbally, it never agrees :*

La mule, glissant sur la route, faillit tomber : The mule, slipping on the road, almost fell.

Dansant et chantant, ils suivirent leur chemin : Dancing and singing, they went on their way.

Used adjectivally, it agrees with the noun :

Une route glissante : A slippery road.

Une voix tremblante : A trembling voice.

(b) **BEWARE** *of translating English " continuous " tenses by the French Present Participle :*

I am speaking : Je parle.

I was speaking : Je parlais.

I have been speaking : J'ai parlé.

(c) **BEWARE** *of using the Present Participle after prepositions (except " en ") :*

J'ai peur de tomber : I am afraid of falling.   (See p. 53.)

III. Imperative.

No subject pronouns are used with the Imperative :

Parle *or* parlez : Speak.

Parlons : Let us speak.

With reflexive verbs an object *pronoun is required :*

Assieds-toi *or* asseyez-vous : Sit down.

Asseyons-nous : Let us sit down.

IV. Future and Conditional.

(a) Si *meaning* if *is followed by the Present or Imperfect, not the Future or Conditional :*

Si vous pouvez m'aider, je vous serai bien obligé : If you can help me, I shall be much obliged to you.

Si vous pouviez m'aider, je vous serais bien obligé: If you could help me, I should be much obliged to you.

But si *meaning* whether *is followed by Future or Conditional as in English :*

Je ne sais pas si je pourrai vous aider : I do not know if (whether) I shall be able to help you.

(*b*) *After* quand *and* lorsque (when), dès que *and* aussitôt que (as soon as) *and* après que (after), *future sense requires the Future tense in French :*

Quand je **reviendrai,** je leur écrirai : When I come back, I will write to them.

Il se couchera aussitôt qu'il **aura** fini : He will go to bed as soon as he has finished.

In similar sentences in the past, use the Conditional :

Je savais qu'il écrirait dès qu'il **reviendrait** : I knew that he would write as soon as he came back.

V. Past Definite and Imperfect.

(*a*) *The* PAST DEFINITE (*also called Past Historic, Preterite, Passé Simple*) *is the tense of narrative. It expresses either definite actions, sudden and clear-cut, or actions and states whose length, beginning or end is defined. Study the following examples :*

(i) Louis XIII **succéda** au trône en 1610 ; il **régna** trente-trois ans et **mourut** en 1643 : Louis XIII came to the throne in 1610 ; he reigned thirty-three years and died in 1643.

(ii) A huit heures M. Dupont **se leva** et **essaya** d'allumer son feu. Il **frotta** plusieurs allumettes, car le bois était mouillé. Enfin la flamme **monta** et il **put** chauffer son café. Il le **but, s'habilla** et **sortit** : At eight o'clock M. Dupont got up and tried to light his fire. He struck several matches, for the wood was damp. At last the flame rose and he was able to heat his coffee. He drank it, dressed and went out.

NOTE : *The Past Definite is rarely used in spoken French. The Perfect takes its place.*

(*b*) *The* IMPERFECT *is the tense of description. It*

describes what was going on in the background of the main narrative of events.

E.g. Quand M. Dupont ouvrit sa porte il **faisait** froid ; la neige **tombait**, le vent **sifflait**. Il se rappela que c'**était** le premier janvier : When M. Dupont opened his door it was cold ; the snow fell (was falling), the wind blew (was blowing). He remembered that it was the 1st of January.

The Imperfect is also the tense of repeated action.   It is used with words like " often," " generally," " always," " every day." (Cp. English " used to . . .")

E.g. Tous les matins à huit heures M. Dupont **se levait** et **allumait** son feu.   Quand il avait bu son café, il **s'habillait** et **sortait** : Every morning at eight o'clock M. Dupont got up and lit (used to get up and light) his fire.   When he had drunk his coffee, he dressed and went out (used to dress and go out).

(c) FURTHER REMARKS : *Sentences introduced by* comme (as), si (if), pendant que (while) *and* que (that) *nearly always contain the Imperfect :*

Comme il buvait son café, il se rappela que c'était le premier janvier : As he was drinking his coffee, he remembered that it was the 1st of January.

Sentences introduced by quand (when) *must contain the Past Definite or the Second Pluperfect (" j'eus parlé ") provided the verb of the main sentence is already in the Past Definite* [1] :

Quand il eut fini son café, il sortit : When he had finished his coffee, he went out.

Lorsqu'il le vit, il s'arrêta : When he saw it, he stopped.

(*But :* Lorsqu'il le voyait, il s'arrêtait : When(ever) he saw it, he used to stop.)

VI. The Perfect.

The Perfect (also called Past Indefinite, Passé Composé) corresponds to the English Perfect and Perfect Continuous :

[1] This rule applies also to *lorsque* (when), *dès que* and *aussitôt que* (as soon as), and *après que* (after).

Il a fini son café : He has finished his coffee.

Il nous a écrit régulièrement : He has been writing to us regularly.

It is also used in spoken French instead of the Past Definite. This applies to conversation, letters, diaries, and, generally, to the written account of any experience in which the writer was himself concerned :

A huit heures **je me suis levé** et **j'ai essayé** d'allumer mon feu. **J'ai frotté** plusieurs allumettes, car le bois était mouillé. Enfin la flamme **est montée** et **j'ai pu** chauffer mon café : At eight I got up and tried to light my fire. I struck several matches, for the wood was damp. At last the flame rose and I was able to warm my coffee.

VII. Past Participle with " avoir."

The Past Participle with avoir *agrees with the direct object, provided that the direct object precedes it :*

Je les ai **finis** : I have finished them (*masc.*).

L'allumette que j'avais **frottée** : The match (*fem.*) which I had struck.

Quelles lettres a-t-il **reçues** ? : Which letters (*fem.*) did he receive ?

Otherwise there is no agreement :

Elle leur a **parlé** : She spoke to them (*Indirect object*).

J'avais **frotté** une allumette (*Direct object follows verb*).

En a-t-il **reçu** ? : Has he received any ? (En *is not considered a direct object.*)

VIII. Past Participle with " être."

The following intransitive verbs are conjugated with être :

aller : to go	rester : to stay
venir : to come	tomber : to fall
arriver : to arrive	monter : to go up
partir : to leave	descendre : to go down

sortir : to go out	naître : to be born
entrer : to go in, come in	mourir : to die
retourner : to go back	

Also : revenir (to come back), devenir (to become), parvenir (to arrive), rentrer (to come home, get back), *and other compounds.*

Être *is used to form all compound tenses of these verbs :*

Perfect (I have come) : Je suis venu, tu es venu, il est venu, elle est venue, nous sommes venus, vous êtes venu(s), ils sont venus, elles sont venues.

Pluperfect (I had gone out) : J'étais sorti, tu étais sorti, il était sorti, elle était sortie, nous étions sortis, vous étiez sorti(s), ils étaient sortis, elles étaient sorties.[1]

Future Perfect (I shall have become) : Je serai devenu.

Conditional Perfect (He would have stayed) : Il serait resté.

Perfect Participle (Having died) : Étant mort.

Perfect Infinitive (After having left) : Après être parti.

The Past Participle used with être *agrees with the subject :*

La flamme est **montée** : The flame rose.

Nous étions **rentrés** : We had got back.

Mes parents sont **nés** à Paris : My parents were born in Paris.

NOTE : Monter, descendre *and* sortir *are sometimes used with an object, or objective complement. They are then conjugated with* avoir.

Le même garçon a monté et descendu les bagages : The same page-boy took up and brought down the luggage.

J'ai monté la rue ; j'ai descendu l'escalier : I went up the street ; I went downstairs.

Il avait sorti son mouchoir de sa poche : He had taken his handkerchief out of his pocket.

---

[1] Since the Past Participle agrees with the subject, it is sometimes necessary to make it feminine in the 1st and 2nd persons. A woman would say : *Je suis venue.* One would say to a woman : *Tu étais sortie* or *Vous étiez sortie.*

IX. Reflexive Verbs.

(a) *Almost any French transitive verb can be made reflexive by the addition of the reflexive pronoun.   It is then conjugated with* être :

Il a lavé ses chaussettes : He has washed his socks.

Il **s'est** lavé : He has washed (himself).

Vous avez coupé le pain : You have cut the bread.

Vous vous **êtes** coupé : You have cut yourself.

J'avais acheté une cravate : I had bought a tie.

Je **m'étais** acheté une cravate : I had bought myself a tie.

Agreement : *With reflexive verbs, the Past Participle agrees with the direct object, provided that the direct object precedes it. (This is the same rule as with* avoir.)   *Usually the direct object is the reflexive pronoun :*

Elle s'est **lavée** : She washed (herself).

Ils s'étaient **coupés** : They had cut themselves.

La cravate que je m'étais **achetée** : The tie which I had bought myself.   (*Here* la cravate que... *is the direct object.*)

In sentences like the following the reflexive pronoun is an indirect *object, therefore there is no agreement :*

Elle s'est **coupé** le doigt : She has cut her finger (*literally :* the finger to herself).

Nous nous sommes **acheté** une cravate : We bought ourselves a tie. (*Here the direct object,* une cravate, *follows the Past Participle.*)

(b) *Common verbs, not obviously reflexive from their English meaning, are :*

se réveiller, se. ever, se laver, s'habiller, se déshabiller, se coucher, s'endormir : to wake, get up, wash, dress, undress, go to bed, go to sleep.

s'asseoir : to sit down	se rappeler ⎱ to remember
s'en aller : to go away	se souvenir de ⎰
se baigner : to bathe	se servir de : to use
se demander : to wonder	se taire : to keep quiet
se promener: to walk	se tromper : to be mistaken

Conjugation of a Reflexive Verb

Present Indic.	Imperative	Imperfect Indic.
je me lave	lave-toi	je me lavais
tu te laves	lavons-nous	tu te lavais
il se lave	lavez-vous	il se lavait
nous nous lavons	*Negative :*	nous nous lavions
vous vous lavez	ne te lave pas	vous vous laviez
ils se lavent	ne nous lavons pas	ils se lavaient
	ne vous lavez pas	

Future		Conditional
je me laverai	se lavant	je me laverais
tu te laveras		tu te laverais
il se lavera	**SE LAVER**	il se laverait
nous nous laverons	*to wash*	nous nous laverions
vous vous laverez		vous vous laveriez
ils se laveront	lavé	ils se laveraient

Present Subj.	Past Definite	Imperfect Subj.
je me lave	je me lavai	je me lavasse
tu te laves	tu te lavas	tu te lavasses
il se lave	il se lava	il se lavât
nous nous lavions	nous nous lavâmes	nous nous lavassions
vous vous laviez	vous vous lavâtes	vous vous lavassiez
ils se lavent	ils se lavèrent	ils se lavassent

COMPOUND TENSES :

Perfect Indic. Je me suis lavé(e), tu t'es lavé(e), il s'est lavé, elle s'est lavée, nous nous sommes lavé(e)s, vous vous êtes lavé(e)(s), ils se sont lavés, elles se sont lavées.

Pluperfect Indic. Je m'étais lavé(e), tu t'étais lavé(e), *etc.*
Future Perfect. Je me serai lavé(e), tu te seras lavé(e), *etc.*
Conditional Perfect. Je me serais lavé(e), *etc.*
Perfect Subj. Que je me sois lavé(e), *etc.*
Pluperfect Subj. Que je me fusse lavé(e), *etc.*
Perfect Participle. S'étant lavé(e)(s).

X. The Infinitive.

(a) *The Infinitive is used after prepositions :*

Entrez sans **frapper** : Come in without knocking.

Avant de **sortir** : Before going out.

Il finit par **accepter** : He ended by accepting.

After après, *use the Perfect Infinitive :*

Après **avoir** accepté : After accepting (having accepted).

Après **être** sorti : After going (having gone) out.

En, *however, is followed by the Present Participle :*

Je le ferai **en sortant** : I will do it when I go out.

En marchant vite, j'y arriverai : By walking fast I shall get there.

(b) *A verb governed by another verb is put in the Infinitive :*

Je le laisse **venir** : I let him come.

Je le vois **venir** : I see him coming.

J'entends **venir** des avions : I hear some aeroplanes coming.

In such sentences, a relative clause may often be used instead of the Infinitive :

J'entends chanter l'oiseau *or* J'entends l'oiseau qui chante.

XI. Prepositions before Infinitive.

(a) *The verbs shown below are followed by the plain infinitive with no preposition :*

aimer [1]	devoir	préférer
aimer mieux	espérer	prétendre
aller	faillir	savoir
avoir beau	il faut	sembler
compter	laisser	sortir
courir	oser	souhaiter [2]
daigner	paraître	il vaut mieux
désirer	partir	venir (*to come*)
détester	pouvoir	vouloir

[1] Also with à.
[2] More rarely with de.

(b) *The following require* à + *infinitive :*

aider	encourager	parvenir
aimer [1]	engager	persister
apprendre	enseigner	pousser
arriver (*to manage*)	exciter	préparer
aspirer	exhorter	se refuser
autoriser	forcer (*active*) [5]	renoncer
chercher (*to try*)	habituer	répugner
commencer [2]	hésiter	se résoudre [3]
consentir	incliner	réussir
continuer [2]	inviter	songer
se décider [3]	se mettre	tendre
demander [4]	obliger (*active*) [5]	venir (*to happen*)
disposer		

(c) *The following require* de + *infinitive :*

cesser	dire	ordonner
charger	s'efforcer [7]	oublier
choisir	empêcher	permettre
commander	s'empresser	persuader
conjurer	essayer	prier
conseiller	feindre	promettre
continuer [6]	être forcé [5]	se proposer
contraindre	se hâter	recommander
convenir	interdire	refuser
il convient	jurer	regretter
craindre	manquer [7]	résoudre (*intrans.*) [3]
décider (*intrans.*) [3]	mériter	risquer
dédaigner	négliger	supplier
défendre	être obligé [5]	tâcher
demander [4]	offrir	tenter
se dépêcher	omettre	venir (*to have just*)

[1] Also with no preposition. [4] See Note (3), p. 55. [7] More rarely with *à*.
[2] Also with *de*. [5] See Note (1), p. 55.
[3] See Note (2), p. 55. [6] Also with *à*.

Notes :

(1) Forcer *and* obliger *are followed by* à *when active, by* de *when passive :*

Je l'ai obligé à partir.

Je suis obligé de partir.

(2) Décider *and* résoudre *are followed by* de *when intransitive, but by* à *when transitive or reflexive :*

Je décide de partir.

Cela me décide ⎤
Je suis décidé ⎬ à partir.
Je me décide   ⎦

(3) Demander *is followed by* de *when it has an indirect object, by* à *when it has no object :*

Je lui demande de sortir : I ask him to go out.

Je demande à sortir : I ask to go out.

(4) *After an adjective or noun modified by* assez *or* trop, *use* pour + *infinitive :*

Il fait trop chaud pour sortir.

J'ai assez d'argent pour payer.

XII. Subjunctive in Principal Sentences.

The 3rd *persons of the Present Subjunctive are used with the force of Imperatives :*

Qu'il ne dise rien : Let him say nothing.

Qu'ils le fassent vite : Let them do it quickly.

They are used, without que, *in a few " wishful " expressions :*

Dieu vous bénisse : God bless you.

Vivent les marins : Three cheers for the sailors.

XIII. Subjunctive in Subordinate Sentences.

The Subjunctive is used :

(a) *After certain conjunctions :*

pour que ⎤
afin que ⎦ in order that

pourvu que : provided that

jusqu'à ce que : until

quoique } although
bien que }

avant que : before [1]
à moins que : unless [1]

(*Also* sans que : without ; de crainte que (+ ne) *and* de peur que (+ ne) : fearing that, lest.)

Criez fort pour qu'il vous **entende** : Shout loudly in order that (so that) he will hear you.

Quoiqu'il vous **entende**, il ne vient pas : Although he hears you, he does not come.

Rattrapez-le avant qu'il (ne) **disparaisse** : Catch him up before he disappears.

BUT *when the sense permits, avoid subjunctive and use infinitive :*

Criez fort pour le faire **entendre** : Shout loudly to make him hear.

Je paierai avant de **partir** : I will pay before I leave (= before leaving).

(*b*) *After verbs of desiring, e.g. :*

vouloir : to wish, want
désirer : to desire, wish

aimer mieux } to prefer
préférer }

Je veux que tu le **voies** : I want you to see it.

Je préfère qu'ils **restent** : I prefer them to stay.

BUT : Je veux le **voir**, je préfère **rester**, *etc.*

NOTE : *Verbs of commanding, allowing, etc.* (e.g. ordonner : to order ; demander : to ask ; défendre : to forbid ; permettre : to allow ; empêcher : to prevent) *require the Subjunctive when followed by* on *or by the passive :*

Je défends qu'on me **touche** : I forbid anyone to touch me.

Il ordonna que les portes **fussent** fermées : He ordered the gates to be shut.

But more usually they have a personal object, and can then be followed by de + *infinitive :*

Je lui défends de me toucher : I forbid him to touch me.

(*c*) *After verbs and adjectives of feeling, such as :*

regretter : to regret

être heureux : to be happy

[1] After *avant que* and *à moins que*, *ne* is usually inserted.

s'étonner : to be astonished   être ravi : to be delighted
craindre (+ ne) : to fear   être mécontent : to be displeased
avoir peur (+ ne): to be afraid   être fâché : to be angry, sorry
être content : to be glad,   être surpris : to be surprised
   pleased   être étonné : to be astonished

Je regrette qu'il l'**ait** fait : I am sorry he has done it.

Je suis étonné qu'il **soit** ici : I am astonished that he is here.

Je crains ⎱
J'ai peur ⎰ qu'il ne le **fasse** : I am afraid he will do (*or* is doing) it.

BUT :

J'ai peur **d'arriver** en retard : I am afraid I shall arrive (of arriving) late.

Je suis content **d'être** ici : I am glad I am here (glad to be here).

(*d*) *After* nier (to deny), douter (to doubt) [1] ; *and usually after* croire, penser, dire *and* espérer *used negatively or interrogatively* :

Je nie ⎫
Je doute ⎪
Je ne dis pas ⎬ que ce **soit** vrai
Je ne crois pas ⎪
Espérez-vous ⎭

=

I deny ⎫
I doubt ⎪
I do not say ⎬ that it is true
I do not think ⎪
Do you hope ⎭

BUT : Je dis ⎫
Je crois ⎬ que c'**est** vrai.
J'espère ⎭

(*e*) *After certain impersonal expressions. The chief are* :

il est possible ⎱
il se peut ⎰ it is possible

il est impossible ⎱
il ne se peut pas ⎰ it is impossible

il faut : it is necessary
il vaut mieux : it is better
il est naturel : it is natural
c'est dommage : it is a pity

Il semble *takes the Subjunctive, but* il **me**, *etc.*, semble *takes the Indicative.*

---

[1] *Nier* and *douter* used negatively are followed by *ne* : Je ne nie pas que ce ne soit vrai : I do not deny that it is true.

Il est possible que ce **soit** vrai : It is possible that it is true.

Il faut que nous le **fassions** : We must do it.

Il est naturel que je **sois** fâché : It is natural that I should be angry.

The following expressions are followed by the Indicative, since they indicate certainty or probability :

il est vrai : it is true   il est probable : it is probable

il est certain : it is certain   il est vraisemblable : it is likely

il est évident : it is obvious   il paraît : it appears

But when negative or interrogative, and indicating uncertainty, they usually take the Subjunctive :

Il est vrai qu'il **est** ici *but* Est-il vrai qu'il **soit** ici ?

Il est probable qu'il **viendra** *but* Il n'est pas probable qu'il **vienne**.

(*f*) *In relative sentences depending on a negative or indefinite antecedent.*

Il n'y a personne qui le **croie** : There is no one who believes it.

Connaissez-vous quelqu'un qui l'**ait** vu ? Do you know anyone who has seen him ?

Donne-moi une plume qui **écrive** bien : Give me a pen that writes well.

BUT : Je connais quelqu'un qui l'**a** vu : I know someone who has seen him.

J'ai une plume qui **écrit** bien.

(*g*) *Miscellaneous.*

Qui que + verb (*être*) : whoever.

Qui que ce soit : Whoever it may be.

Qui que vous soyez : Whoever you may be.

Quoi que + verb : whatever (*pronoun*).

Quoi que je fasse : Whatever I (may) do.

Si *or* quelque (*invariable*) + adjective : however.

Si fatigués que nous soyons   } However tired we are
Quelque fatigués que nous soyons }   (may be).

Quelque (*variable*) + noun + que : whatever (*adjective*).

Quelques efforts que je fasse : Whatever efforts I (may) make.

Quel (*variable*) + que + verb (*être*) : whatever (*adjective*).

Quelles que soient vos raisons : Whatever your reasons may be.

EXERCISES

on Conjugation

(Pp. 11 to 44.)

A. *Être, avoir, parler, finir, dormir, vendre.*

I. French for : 1. We are. 2. We were (*Imperf.*). 3. They were (*Past Def.*). 4. Let us be. 5. I have been. 6. Thou shalt have. 7. They have. 8. You were having. 9. He may have (*Pres. Subj.*). 10. He might have (*Imperf. Subj.*).

II. French for : 1. Does she speak ? 2. Will she speak ? 3. I spoke (*Past Def.*). 4. Speak (*2nd Sing.*). 5. He might speak (*Imperf. Subj.*). 6. He finishes. 7. He finished (*Past Def.*). 8. We were finishing. 9. They would finish. 10. You may finish (*Pres. Subj.*).

III. French for : 1. Sleeping. 2. I sleep. 3. We slept (*Past Def.*). 4. Thou wast sleeping. 5. You will sleep. 6. He sells. 7. I would sell. 8. He has sold. 9. We will sell. 10. I may sell (*Pres. Subj.*).

IV. Give :

1. The Present Participle of *avoir, être, finir.*
2. The 3rd Plur. Future of *être, vendre, finir.*
3. The 1st Plur. Conditional of *avoir, dormir, parler.*
4. The 3rd Sing. Past Def. of *parler, avoir, dormir, vendre.*
5. The 2nd Plur. Imperative of *avoir, finir, dormir, être.*
6. The 1st Plur. Present Subj. of *finir, vendre, être.*

B. *Aller, venir, couvrir, recevoir, pouvoir, savoir, vouloir.*

V. French for : 1. They go. 2. They were going. 3. You will go. 4. He went (*Past Def.*). 5. He has gone. 6. I come. 7. We come. 8. We will come. 9. I have come. 10. I may come (*Pres. Subj.*).

VI. French for : 1. I cover. 2. I covered (*Past Def.*). 3. I have covered. 4. He was covering. 5. He would cover. 6. They receive. 7. Thou wilt receive. 8. We were receiving. 9. We received (*Past Def.*). 10. He may receive (*Pres. Subj.*).

VII. French for : 1. They can. 2. They have been able. 3. He will be able. 4. You may be able (*Pres. Subj.*). 5. He might be able (*Imperf. Subj.*). 6. They know. 7. Knowing. 8. I would know. 9. We have known. 10. He may know (*Pres. Subj.*). 11. They wish. 12. They would wish. 13. You wished (*Imperf.*). 14. He will wish. 15. I wished (*Past Def.*).

VIII. Give :

1. The 2nd Sing. Imperative of *venir, recevoir, savoir*.
2. The 2nd Plur. Imperfect Indic. of *venir, savoir, couvrir*.
3. The 1st Sing. Conditional of *aller, couvrir, pouvoir*.
4. The 3rd Plur. Past Definite of *aller, pouvoir, vouloir*.
5. The 3rd Sing. Imperfect Subj. of *recevoir, vouloir, venir*.

C. *Conduire, connaître, craindre, dire, faire, mettre, prendre.*

IX. French for : 1. They lead. 2. We will lead. 3. He was leading. 4. He led (*Past Def.*). 5. I have led. 6. You know. 7. He knows. 8. He may know (*Pres. Subj.*). 9. Knowing. 10. They would know.

X. French for : 1. We fear. 2. We will fear. 3. He has feared. 4. Thou wast fearing. 5. He might fear (*Imperf. Subj.*). 6. You say. 7. You said (*Past Def.*). 8. You would say. 9. I have said. 10. I may say (*Pres. Subj.*).

XI. French for : 1. They make. 2. He will make. 3. They were making. 4. You have made. 5. We may make (*Pres. Subj.*). 6. He puts. 7. Put (*2nd Plur. Imperative*). 8. They have put. 9. He put (*Past Def.*). 10. He may put (*Pres. Subj.*). 11. I take. 12. I was taking. 13. You would take. 14. They took (*Past Def.*). 15. He may take (*Pres. Subj.*).

XII. Give :

1. The 2nd Plur. Present Indic. of *faire, prendre, conduire*.
2. The 3rd Sing. Future of *connaître, dire, faire*.
3. The 1st Sing. Past Definite of *craindre, faire, mettre, connaître*.
4. The Present Participle of *craindre, conduire, dire*.
5. The Past Participle of *connaître, prendre*.

D. *Mener, jeter.*

XIII. 1. We lead. **2.** They lead. **3.** I will lead. **4.** He led (*Past Def.*). **5.** You may lead (*Pres. Subj.*). **6.** I would throw. **7.** I have thrown. **8.** We were throwing. **9.** Throw (*2nd Plur. Imperative*). **10.** He throws.

E. *Other stem-changing verbs.*

XIV. Give :

1. The Present Participle of *menacer, plonger, ennuyer*.
2. The 1st Sing. Present Indic. of *céder, essuyer, recevoir*.
3. The 3rd Plur. Imperfect Indic. of *commencer, juger, céder*.
4. The 1st Plur. Future of *espérer, nettoyer, ennuyer*.
5. The 3rd Sing. Past Definite of *manger, prononcer, employer*.

F. *Secondary irregular verbs : acquérir to croître.*

XV. Give :

1. The 3rd Sing. Present Indic. of *acquérir, s'asseoir, bouillir, conclure, courir, croître*.
2. The 1st Sing. Future of *acquérir, s'asseoir, courir*.
3. The Present Participle of *boire, coudre, croître*.
4. The 3rd Plur. Past Def. of *conclure, croire, boire*.

G. *Secondary irregular verbs : cueillir to mourir.*

XVI. Give :

1. The 1st Sing. Present Indic. of *cueillir, envoyer, haïr*.
2. The 3rd Sing. Future of *cueillir, envoyer, falloir, mourir*.

3. The 3rd Sing. Perfect of *écrire, falloir, lire, mourir*.

4. The 1st Plur. Present Subj. of *écrire, fuir, haïr, lire*.

H. *Secondary irregular verbs : mouvoir to voir.*

XVII. Give :

1. The 3rd Plur. Present Indic. of *naître, plaire, résoudre, rire, suffire, vaincre.*

2. The 3rd Sing. Conditional of *pleuvoir, valoir, voir.*

3. The 1st Sing. Perfect of *naître, plaire, rire, vaincre vivre, voir.*

4. The 3rd Sing. Past Def. of *naître, résoudre, suivre, valoir, voir.*

EXERCISES

on Syntax

(Pp. 45 to 59.)

I. (*Section I.*)   French for : 1. I have been in London for some days.   2. We have been working here since Monday. 3. Since he has been in Paris he has been enjoying himself a lot.   4. They have been waiting for twenty minutes.   5. She has been waiting for you since five o'clock.   6. They had been at sea (*en mer*) for six days.   7. I had been reading for several hours.   8. Since the war he had been living in France.   9. I have not done it since Saturday.   10. We had seen him three times since April.

II. (*Sections II and III.*)   French for : 1. A window opening (use *donner*) on the sea.   2. He was speaking in a (*d'une*) trembling voice.   3. Walking quickly, she almost fell. 4. The soldiers were marching, singing this tune (*air*, m.). 5. She was dancing on the slippery road.   6. Come here ; look !   7. Let's wait in the garden.   8. Sit down and drink your coffee (*2nd Sing.*).   9. Keep quiet and listen (*2nd Plur.*). 10. Let's get up and go out.

III. (*Section IV.*)   French for : 1. If you wish to go there, I will go with you.   2. If he does it, he will regret it.   3. If they come to-morrow, you will see them.   4. If they were here, they would help you.   5. I wonder if he will write to us. 6. I will see them when they come back.   7. As soon as he comes back, give him this letter.   8. When you write to them, I will help you.   9. He said that he would leave as soon as he was ready.   10. When I have finished it I will go to bed.

IV. (*Section V.*) Translate, using Past Definite or Imperfect as the sense requires : 1. He got up every morning at eight. 2. On the 1st of January he got up at seven. 3. The sky was grey ; the grass was damp. 4. This king died in 1910. 5. He stayed three hours in the garden. 6. M. Dupont said that he was tired. 7. They often went to London. 8. Yesterday they went to see their aunt. 9. When it rained he never went out. 10. When he went out, he saw that it was raining.

V. (*Sections VI and VII.*) Translate, using Perfect, *not* Past Def. : 1. He has written me a letter. 2. Here is (*Voici*) the letter which he wrote. 3. Which books have you read ? 4. I have not read any. 5. I have lost them (the books). 6. Have you spoken to her ? 7. He has found the key (*clef, f.*) which I had lost. 8. Haven't you seen it (*fem.*) ? 9. She has finished the three pages. 10. Where are the parcels which she sent ?

VI. (*Section VIII.*) Translate, using compound tenses throughout : 1. They went to Rouen. 2. She left at ten o'clock. 3. The car came into the garage. 4. I stayed under the tree. 5. Haven't they arrived yet ? 6. She was born on the 1st of January. 7. He had become very rich. 8. He will have come back in an hour. 9. We had fallen into the water. 10. She has gone down the street.

VII. (*Section IX.*) French for : 1. We shall go to bed early. 2. We used to bathe in the sea. 3. Don't let's wash this morning. 4. He has bought himself a tie. 5. They have not washed. 6. She has used my comb (*peigne, m.*). 7. You have dressed very quickly. 8. You had gone to sleep. 9. I knew that I had been mistaken. 10. They will have sat down on the beach.

VIII. (*Section X.*) French for : 1. Before finishing the work. 2. Without going out of the house. 3. They began by accepting.   4. Before arriving at the village.   5. After knocking, he came in.   6. I saw him when I came in (on entering).   7. We will do it by working hard (*dur*).   8. I will let you go out.   9. I hear him knocking.   10. Have you seen him dance ?

IX. (*Section XI.*)   French for : 1. He has come to see us. 2. I refuse to believe it.   3. She prefers to stay here.   4. They are learning to read.   5. We hope to finish it.   6. I hesitate to believe you.   7. He has offered to help us.   8. He is forced to go back.   9. They have decided to do it.   10. I am too tired to see him.

X. (*Sections XII and XIII (a)*.)   French for : 1. Long live the King !   2. God forgive you !   3. Let him do it now. 4. Let them make up their minds (use *se décider*).   5. Although you are ill . . .   6. Until she comes . . .   7. Unless you see him . . .   8. Provided that it does not rain . . .   9. Go away before he finds you.   10. Don't leave before you see him.

XI. (*Sections XIII (b) and (c)*.)   French for : 1. We want them to do it.   2. He prefers us to finish it.   3. He wants you to tell him the truth.   4. I prefer you to see them yourself. 5. I allow it to be said.   6. We are sorry that they have come. 7. I am glad that you like it.   8. He is surprised that you have done it.   9. I am sorry that I am so busy.   10. I am afraid that she will be angry.

XII. (*Sections XIII (d) and (e)*.)   French for : 1. Do you deny that they are here ?   2. I don't think that it is too late. 3. We hope that you will come back.   4. I doubt whether he will tell (it) you.   5. He does not say that we are wrong. 6. It is possible that I shall leave.   7. It is probable that he will stay.   8. It is not certain that they will do it.   9. I must finish this book.   10. It is a pity that he has seen it.

XIII. (*Sections XIII (f) and (g)*.)   French for : 1. Is there anyone who knows the answer ?   2. There is nothing

I can do.   3. There is no one who does it like you.   4. I want
a house that is big enough.   5. We have a house which is too
small.   6. Whatever you may say . . .   7. However angry
they are . . .   8. Whatever reasons he can give . . .   9. Whatever his motives (use *motif, m.*) may be . . .   10. I wish to see
no one, whoever it may be . . .

VOCABULARY

angry, *fâché*
answer, *réponse* (*f.*)
April, *avril*
aunt, *tante* (*f.*)

beach, *plage* (*f.*)
believe, *croire*
book, *livre* (*m.*)
busy, *occupé*

car, *voiture* (*f.*)
coffee, *café* (*m.*)

dance, *danser*
drink, *boire*

early, *de bonne heure*
enough, *assez*

find, *trouver*
forgive, *pardonner*

garage, *garage* (*m.*)
get up, *se lever*
go back, *retourner*
go out, *sortir*
grass, *herbe* (*f.*)
grey, *gris*

ill, *malade*

king, *roi* (*m.*)

late (it is), *il est tard*
leave, *partir*
letter, *lettre* (*f.*)
listen, *écouter*

live, *vivre, habiter*
London, *Londres*
look, *regarder*
lose, *perdre*

march, *marcher*

now, *maintenant*

often, *souvent*

page, *page* (*f.*)
parcel, *paquet* (*m.*)

quickly, *vite*
quiet (to keep), *se taire*

rain, *pleuvoir*
read, *lire*
ready, *prêt*
regret, *regretter*
rich, *riche*

sea, *mer* (*f.*)
send, *envoyer*
several, *plusieurs*
sky, *ciel* (*m.*)
stay, *rester*

time, *fois* (*f.*)
tired, *fatigué*
to-morrow, *demain*
too, *trop*
tree, *arbre* (*m.*)
truth, *vérité* (*f.*)

village, *village* (*m.*)

wait, *attendre*
walk, *marcher*
war, *guerre* (*f.*)
water, *eau* (*f.*)
window, *fenêtre* (*f.*)
wonder, *se demander*

work (*n.*), *travail* (*m.*)
work (*vb.*), *travailler*
write, *écrire*
wrong (to be), *avoir tort*

yesterday, *hier*
yet, *encore*

INDEX OF VERBS CONJUGATED

or whose conjugation is shown